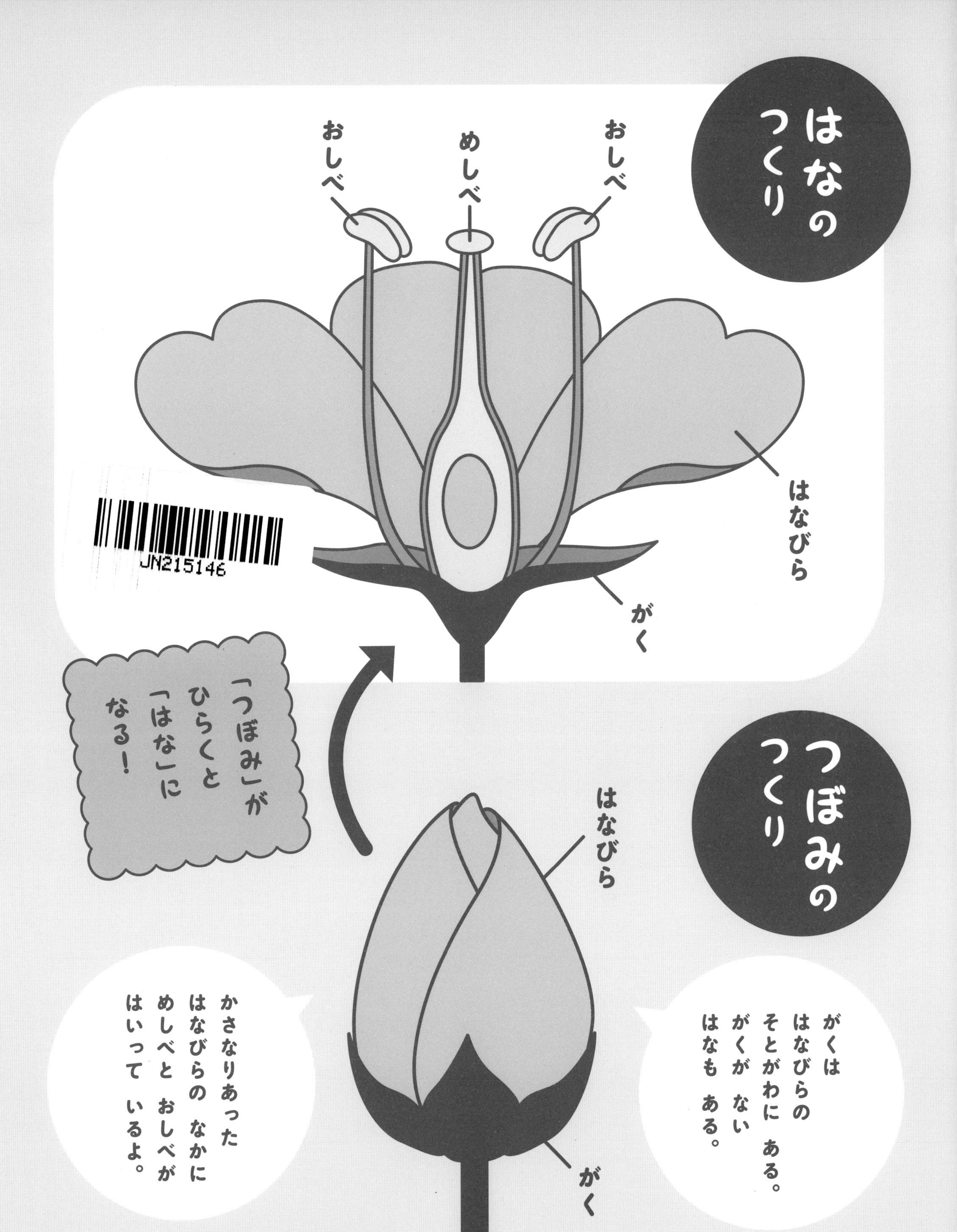
はなの
つくり
おしべ
めしべ
おしべ
はなびら
がく
「つぼみ」が
ひらくと
「はな」に
なる！
つぼみの
つくり
はなびら
がく
かさなりあった
はなびらの なかに
めしべと おしべが
はいって いるよ。
がくは
はなびらの
そとがわに ある。
がくが ない
はなも ある。

はじめに

なつは、くさや　きが　ぐんぐん　のびて、
しょくぶつが　よく　そだつ　きせつです。
いえの　にわでも、がっこうの　かだんでも、
かわらでも、のはらでも、たくさんの　はなに　であえます。
この　ほんでは、なつに　みつかる
いろいろな　しょくぶつの、つぼみを　しょうかいします。
「どんな　はなが　さくのかな？」と
そうぞうしながら　よんで　みて　くださいね。

なんのつぼみ？

なつ

もくじ

なんの　つぼみ？ 1

ほそい　つるに
さきが　ねじれた
ほそながい　つぼみが
ついて　いるよ。

がっこうや
いえの　にわで
みつかるよ

なんの つぼみ かな？

さきが ぎゅっと ねじれて いるね

ひらく　ところを　みて　みよう

まだ　くらい
よあけ　まえ。
つぼみが
ゆるみ
はじめた。

かたく　ねじれた
つぼみが
だんだん
ほどけて　いくよ

すこしずつ
はなびらの
いろが
みえて　くる。

もう
すこしで
ひらきそう！

あさがおの
はなが　さいた！

あさがおを じっくり みて みよう！

はなびらが
とても
うすくて
すいぶんが
とびやすい

あさがおは
ひが しずんでから
じゅうじかんぐらい たつと、
ひらきはじめる。

あさ はやくに
おおきく ひらいて、
おひるごろに なると
しぼんでしまうよ。

ごごに
なると
しぼむ

うえから　みると、
つぼみは
みぎから　ひだりへ
まいて　いる。
ねじれたまま
おおきく　なって、
ほどけるように
ひらいて　さくよ。

つるは
ほそくて　ながい。
なにかに
まきつきながら
たいように
むかって
どんどん　のびる。

まめちしき

ひる　さく
ひるがお、
よる　さく
よるがおも　ある。

ひるま　さいて、
ゆうがた　しぼむ

ひるがお

ゆうがた　さいて、
あさ　しぼむ

よるがお

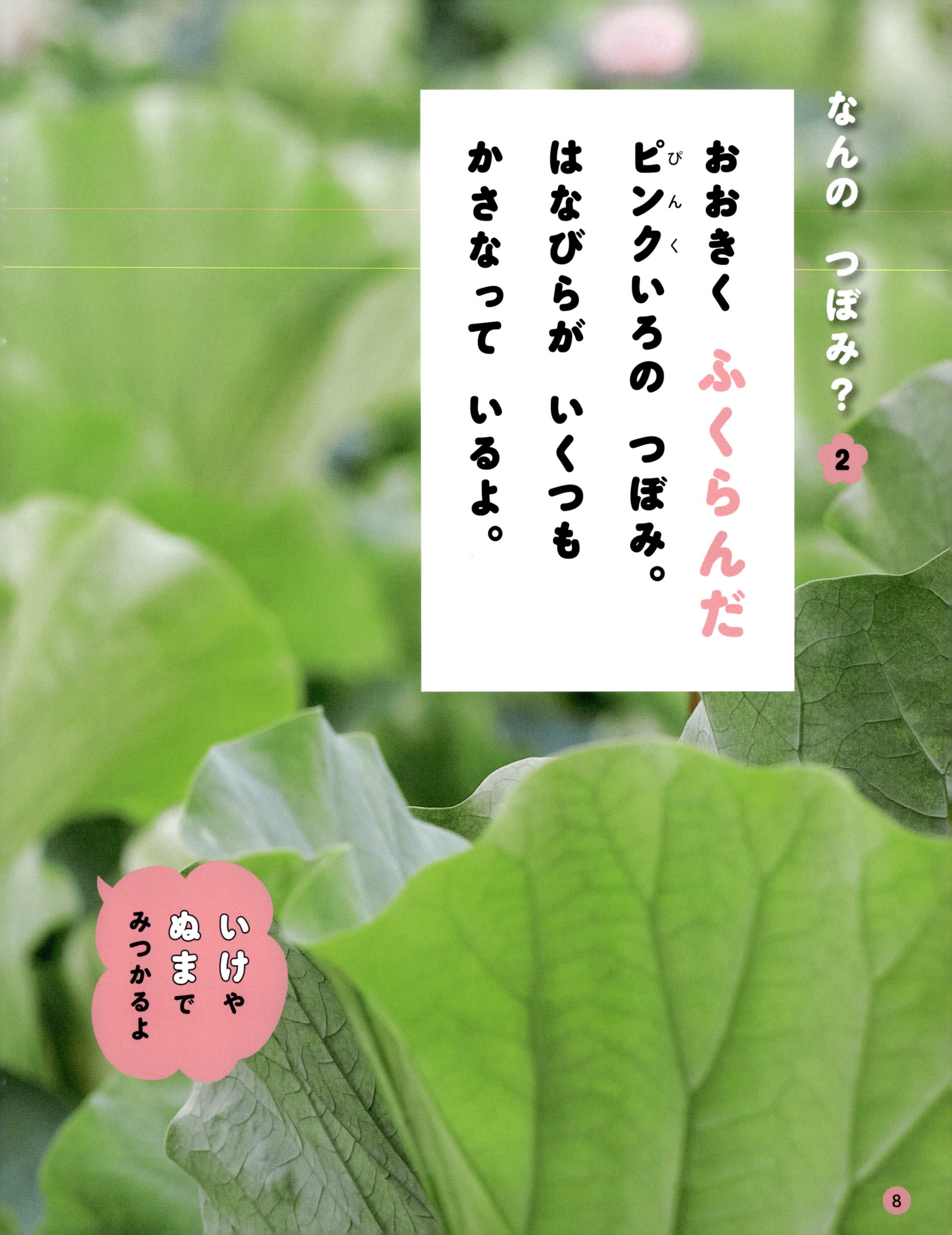

なんの　つぼみ？ 2

おおきく　ふくらんだ
ピンク(ぴんく)いろの　つぼみ。
はなびらが　いくつも
かさなって　いるよ。

いけや
ぬまで
みつかるよ

なんの
つぼみ
かな？
とっても
おおきい！

ひらく ところを みて みよう

はじめは
さきが
とがって いて、
いろが
うすい。

みどりいろから
ピンクに
かわって いく

ふくらんで
いろが
こく なる。

あさ はやく、
いちまい
いちまい
はなびらが
はなれて きた！

はすの
はなが
さいた！

はすを じっくり みて みよう！

はすは、
なつの あさ
はやくに ひらいて
ごごには しぼんでしまう。

さいて だいたい よっかめに、
そとがわの はなびらから
ちって いって、
さいごに まんなかだけ のこる。

みずの　なかから
でてきた
つぼみは、
どんどん
おおきく　なって、
くきも　のびて、
はっぱより　**たかい**
ところで　さく。

はなが　ちった
あと、
のこった　ぶぶんは
だんだん　おおきく
そだって　いく。
あなの　なかに
みが　できるよ。

まめちしき

やさいの
れんこんは
はすの　いちぶ。
みも
たべられる！

いけの　そこの
どろの　なかで
そだつ

れんこん

はすの　み

なんの　つぼみ？　3

ちいさな　つぼみが
ぎゅっと　あつまって
まるい　かたちを
つくって　いるよ。

にわや
こうえんや
おてらで
みつかるよ

なんのつぼみかな？

つぼみが たくさん
あつまって いる！

ひらく　ところを　みて　みよう

はじめは
ちいさな
つぶの
あつまり。

はじめは
しろっぽい
みどりいろ

すこしずつ
ひらいて
きた！

それぞれ
ふちの
ほうから
いろづいて
きたよ。

あじさいの
はなが
さいた！

あじさいを じっくり みて みよう！

はなの ように
みえる ぶぶんは、
がくへんの
あつまり

ほんとうの はなは
おくに かくれて いる

がくへんは
よんまいで
ひとつに
なって いる

はなのように
みえるのは
がくへんと いう ぶぶん。
じつは、かざりだよ。

かざりが たくさん あつまって、
ボール（ぼうる）のような かたちを
つくって いるんだ。

ほんとうの
はなは
とても
ちいさい

どんな　つちに
はえて　いるかで
あじさいの
いろが　かわる。
じかんが　たっても
いろが
かわって　いくよ。

はっぱが　おおきくて
たくさん　あるから、
はっぱから
すいぶんが
にげやすいんだ。
だから、あじさいは
あめが　だいすき。

まめちしき

いろいろな
かたちや
いろが　あるよ。

かしわばあじさい

アナベル（あなべる）

がくあじさい

こまかい　けが　はえた
とがった
はっぱのような　ものに
つつまれて　いるよ。

こうえんや
がっこうの
かだんで
みつかるよ
さきが
とがって　いるね

ひらく ところを みて みよう

つぼみが
ちいさいうちは
まだ
はなびらが
みえない。

はっぱのような
ものの なかに
はなが あるよ

くきが のびて
つぼみも
おおきく
なって くる。

すこしずつ
きいろの
はなが
ひらいて
きた！

ひまわりの はながさいた！

ひまわりを じっくり みて みよう！

まんなかの
はなが
たねに かわる

ちいさな
はなが あつまって
おおきな ひまわりの
はなを つくって いるよ。

そとがわを かこむ
ほそながい はなが
さいてから、
まんなかの はなが ひらくよ。

つぼみの　うちは
たいように
あわせて
むきを　かえる。
はなが　さくと
たいようが　のぼる
ほうこうを
むいたままに　なる。

ひまわりの　はなの
まんなかに、
たくさんの
はちが　あつまって
くるよ。

まめちしき

ちいさい
しゅるいや
いろが　ちがう
ものも　ある。

えだわかれして
さくのは
めずらしいよ！

えだわかれして
さく　スプレーざき

ちゃいろっぽい
はなびら

なつの き の つぼみ

こんぺいとう
みたいな
つぼみ

ふくらんだ
ほそながい
つぼみ

ねむのきが
さいた！

のうぜんかずらが
さいた！

なつの かだん の つぼみ

つんつんした
はっぱのような
ものに
つつまれて
いる！

くきの みぎと ひだりに
つぼみが たくさん！

ばらが
さいた！

たち
あおいが
さいた！

まるい
はっぱのような　ものが
かさなって　いるよ
ねじれた
ながい　つぼみ
ジニアが
さいた！
にちにち
そうが
さいた！

なつの のやま の つぼみ

しろくて
とがった
つぼみ
とがった
はっぱのような
ものに
つつまれた
つぼみ
どくだみが
さいた！
のあざみが
さいた！

いけや ぬまで
さがして
みよう！

なつの みずべの つぼみ

すいれん

はなしょうぶ

みずの なかから
かおを だして いる
まるい つぼみは、
しろや ピンクの
はなが さく すいれん。

たんぼのような
しめった ばしょで
さいて いるのは
はなしょうぶ。

どちらも なつの
みずべの はなだよ。

✿ 監修　小池　安比古（こいけ・やすひこ）

プロフィール
東京農業大学 農学部 教授。専門は花卉園芸学、人間植物関係学。JFTD学園日本フラワーカレッジ非常勤講師も務める。監修書に『色と形で見わけ 散歩を楽しむ花図鑑』ナツメ社、『かわいい花（学研の図鑑LIVE petit）』学研プラス、『東京植物図譜の花図鑑1000 花の仲卸さんが作った「花図鑑」』日本文芸社、『はじめてのずかん しょくぶつ』高橋書店、『読んで楽しむ 草花の事典』成美堂出版。

✿ 参考資料

『色と形で見わけ 散歩を楽しむ花図鑑』ナツメ社
『かわいい花（学研の図鑑LIVE petit）』学研プラス
『東京植物図譜の花図鑑1000 花の仲卸さんが作った「花図鑑」』日本文芸社
『はじめてのずかん しょくぶつ』高橋書店
『読んで楽しむ 草花の事典』成美堂出版
『子どもと一緒に見つける 草花さんぽ図鑑』永岡書店
『見わけがすぐつく花図鑑』成美堂出版
『道草ワンダーランド』NHK出版
『タンポポ ハンドブック』文一総合出版
『つぼみたちの生涯 花とキノコの不思議なしくみ』中央公論新社

✿ 写真　平石　順一（ひらいし・じゅんいち）

プロフィール
東京で生まれ、島根県で育つ。写真スタジオを経て独立。写真歴三十五年。書籍、雑誌、ウェブなどで撮影を行う。日本各地の自然の景観や四季折々の温泉などを多数撮影。植物を撮る時には、花の色彩や質感、肉眼ではわかりにくい形を、写真を通して鮮明に表現できるよう工夫している。この本を通じて、つぼみから花へだんだん形や色を変えていく植物のおもしろさや美しさを感じてもらえたらうれしい。

きせつの　つぼみを　みつけよう！

なんの　つぼみ？　なつ

監修　小池安比古
写真　平石順一
デザイン　パパスファクトリー
校正　宮澤紀子

発行者　鈴木博喜
編　集　大嶋奈穂
発行所　株式会社　理論社
〒101-0062　東京都千代田区神田駿河台 2-5
電話　営業 03-6264-8890　編集 03-6264-8891
URL　https://www.rironsha.com

2025年2月初版発行　2025年2月第1刷発行

印刷　光陽メディア　製本　東京美術紙工
上製加工本

ISBN978-4-652-20665-2　NDC471
A4 変型判　27×22cm　32P

つぼみの　かんさつ　カード

なまえ

ひづけ　　がつ　　にち（　　ようび）
じかん　　じごろ

みつけたのは　　　の　つぼみ

●つぼみの　えを　かいて　みよう。

●いろ、かたち、おおきさ、におい、つぼみの　かず、どこで　みつけたか、くきに　どんなふうに　ついているかなど　かんさつして　かいて　みよう。

※この　ページを　コピーして　つかってね。